Cuba: Campo Adentro

Susan Sweetser Bank

1

Cuba: Campo Adentro

Photographs by Susan Sweetser Bank

Essay by Juan Antonio Molina

Sagamore Press

For my husband Willi

Preface

The *Campo Adentro* project began in March 2002 as an accident. What I intended to be a weekend retreat from the hustle of Havana became a deeply intense personal journey, returning again and again for the next five years to barrio Cuajaní, in the Valley of Viñales, Pinar del Río Province.

Landing in Havana, that illusive, mythical citadel of contradictions and juxtapositions, one feels catapulted back in time to the 1950's. To know Pinar del Río, is to feel gently pulled back another fifty years.

I lived and worked among *campesinos* (tobacco farmers) and their families who subsisted without the benefit of modern conveniences. Here was an opportunity to photograph people who I believe had never been touched by another *extranjero*/foreign photographer. Carrying a handheld Leica M6 and using natural light, I concentrated on ten households, all related either by blood or marriage.

Having grown up in a depressed but culturally rich New England island village in the 1940's, I shared with the *campesinos* a sense of 'tamed space' and community life. In my imagination, the *campesinos* were to become my family.

Unlike Walker Evans, who was assigned to Cuba in 1933 to expose poverty for Carlton Beals' book *The Crime of Cuba*, or Dorothea Lange, who followed migrant workers during the Great Depression for the Farm Security Administration, I had no political agenda. I had no intent to disturb life in *el campo*. I did, however, have to guard against drifting into a romantic vision of a way of life that on the surface appeared to be exotic and perfectly harmonious.

Rising before dawn, walking alone along the dark *caminito*, stepping over untethered oxen, waiting for that magical hour, the first flutter of light over the mountains . . . wanting to believe in the *possibility* of hope for that one day only . . . working from raw, simple, ordinary details, I set out to create an intimate and poetic portrait of daily life of the *campesinos* of barrio Cuajaní.

Susan S. Bank
Philadelphia PA

Prólogo

El proyecto *Campo Adentro* surgió en marzo de 2002 por pura casualidad. Lo que inicialmente quise que fuera un retiro de fin de semana, lejos del asedio de La Habana, se convirtió en una exploración profunda, intensamente personal, que me hizo regresar una y otra vez durante cinco años al barrio Cuajaní en el Valle de Viñales, en la provincia de Pinar del Río.

Aterrizar en La Habana, esa ciudad mítica e ilusoria, tan llena de contradicciones y yuxtaposiciones, es caer repentinamente en la década de los 50. Pero descubrir Pinar del Río es retroceder plácidamente en el tiempo cincuenta años más.

Allí viví y trabajé entre campesinos, agricultores de tabaco, familias que subsistían sin el beneficio de adelantos modernos. Tuve la oportunidad de retratar a personas que jamás habían sido captadas por el lente de un fotógrafo extranjero. Valiéndome de una Leica M6 portátil y de la luz natural, elegí a diez familias, todas emparentadas por lazos de sangre o matrimonio.

Crecí en una pequeña isla en la costa de New England, en los Estados Unidos, durante los años 40—años de relativa pobreza, pero de riqueza cultural—y sentí que compartía con los campesinos esa sensación de 'espacio domado' y de vida comunitaria. En mi imaginación, los campesinos llegaban a ser mi familia.

A diferencia de Walker Evans, que fue enviado a Cuba en 1933 para denunciar la pobreza en la isla para el libro de Carlton Beals, *The Crime of Cuba*; o de Dorothea Lange, que documentó la vida de los obreros migrantes durante la era de la Gran Depresión para la Farm Security Administration, mi agenda no era política. No tenía intención alguna de perturbar la vida del campo. No obstante, tenía que resguardarme. Temía asumir una visión romántica de un estilo de vida que a primera vista parecía exótico y perfectamente armonioso.

Me levantaba a diario antes del amanecer y salía a andar sola por el caminito oscuro, esquivando a los bueyes desamarrados... aguardaba esa hora mágica, cuando el primer rayo de luz se asomaba tras las montañas. . . Quería concebir la *posibilidad* de sentir esperanza en ese día único . . . Y así, utilizando los elementos más primarios, sencillos y corrientes, me dispuse a crear un cuadro íntimo y poético de la vida cotidiana de los campesinos del barrio Cuajaní.

Susan S. Bank
Philadelphia PA

Traducción de Iraida Iturralde

13

15

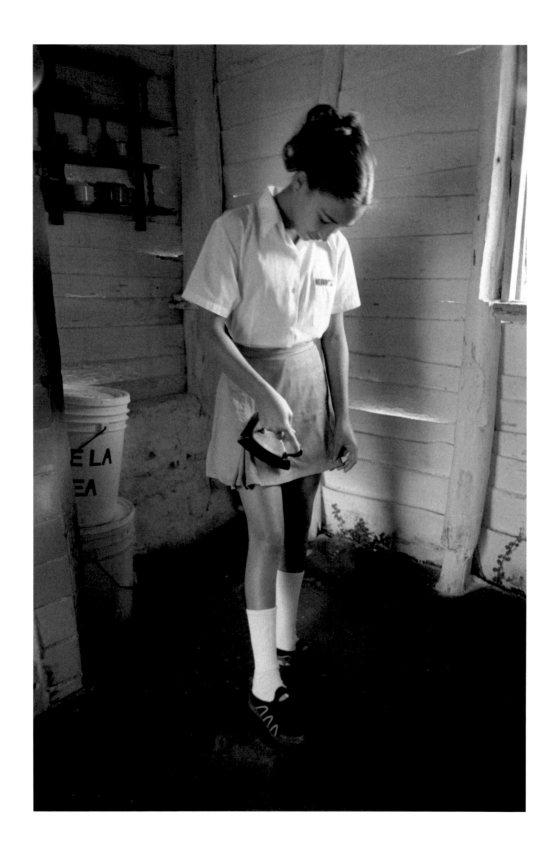

The Secret Drive of History by Juan Antonio Molina

La imagen es la causa secreta de la historia.

José Lezama Lima

Prologue

I have always been haunted by this quotation from Lezama Lima, at once enigmatic and revealing. Perhaps I am unable to rid myself of it because I haven't spent much energy trying to decipher it. Sometimes it is best not to understand too well the things in which one believes. But the truth is that this phrase intrigues me, above all, because I feel that it makes sense of my ambiguous relationship with the photographic image and with history. Or rather, it reminds me of the ambiguous position in which I locate my own relationship with the photograph: always caught between the image and history. I approach the work of Susan Bank with this idea always in mind. And it is the ubiquity of this idea that I have encountered in each of her photographs. On one level I suspect that this condition is characteristic of the photograph as a medium of representation. But it is also a particular consequence of the encounter between a sensibility like Bank's and the reality of Cuban country life. Ultimately, it is a happy coincidence that has successfully implicated me in an intellectual—but also imaginative—experience that allows me to pursue the reinvention of my own history.

The Loneliness of the Image

There is a loneliness intrinsic to the artistic act that derives from the artist's confrontation with the totality of the image he or she has created. This loneliness emerges when the artist recognizes the image as something beyond reality, beyond the medium in which the artist works, beyond the context in which the artist lives. It occurs when the artist understands, or at least intuits, that he (or she) *is* the reality, the agent, and the context of the image. In that fleeting instant, the image unveils itself and leaves the realm of history to enter the world of myth. I believe that every work of art contains a trace of the image's autonomy that refuses to be positioned or colonized by circumstance.

When looking at Bank's photographs, I experience a restlessness caused by my desire to associate each image with a specific situation, only to discover that the image resists my attempts to fasten it to such circumstance. I admit having approached these photographs looking for evidence of how Cuban *campesinos* live and, mainly, looking for connections with my own past and origins. Instead, what I have found is evidence of the ways Bank experiences beauty. Bank has said that she takes photographs "in order to deal with personal feelings of loneliness and isolation." I prefer to say that she takes photographs to grapple with the beauty and the fullness of the created image, understanding that the aesthetic experience is also a lonely way to fight solitude.

More Real Than the Real

The photographs of the *Campo Adentro* series were taken in the homes of farmers in a community in the Valley of Viñales. The photographer's access to the private world of *campesinos* could not have been realized without a prior relationship with the subjects. I believe these photographs were born of a visceral and emotional connection with their reality. Bank's photographs show a respectful familiarity with the subjects. However, such familiarity does not preclude the creation of a new reality. The truth in these photographs does not rely exclusively on what once stood before the lens. Each carries its own aesthetic truth, beyond the reality of its subject.

Bank emphasizes, above all, the aesthetic effect of light in interior spaces. She plays with the chiaroscuros of inner spaces, supplemented with strong light from outside: a dramatic use of light beyond all else. The scene in which a man touches the belly of another man lying in a bed would be less expressive were it not for the powerful use of light and shadow. This image introduces another, no less important, aesthetic elaboration: the framing of the world beyond the window where we can see a horse's head and a fragment of landscape. The framing is so well defined, and the contrast between one scene and the other so sharp, that the window becomes a photograph within a photograph. Suddenly the outdoor scene seems like a picture or a painting hanging on the wall, or a photomontage that suggests that another world begins on the other side, perhaps unreal, perhaps simply poetic.

The photograph of a room in which several turkeys strut about with stupid confidence, as if they were the sole inhabitants of the house, has a similar effect. The scene in itself is already somewhat unreal. With the vividness of dreams and certain memories, the view through the window once again suggests an image within an image, like a *trompe l'oeil* captured inside the photograph—a paradoxical situation, because this deception seems more real than life itself. It is this sensation that leads me to recognize Bank's photographs as aesthetic experiences that border on surrealism.

The Value of Distance

A surreal effect emerges, I believe, at the very moment when the real appears in a photograph as an alien element. The photograph ceases to stand in for a familiar reality and becomes the starting point of a reality that is yet to be known. I no longer cling to the belief that the photograph engenders an intimacy with its subject, but rather distances us from it. Walter Benjamin spoke of the "aura" of a work of art, suggesting that it had to do with a kind of distance. At times, this distance arises from the mediation of the camera between the photographer and the image. The photograph seems to emerge more from the artist's intervention than from any reality. Again and again, these interventions surface in Bank's work.

This development becomes more explicit in the photographs where Bank has chosen vantage points that obscure the faces of her subjects. Capturing the subject's identity seems not to be her primary concern. In the best examples, subjects practically merge with the landscape. In each case, the formal composition suggests a symbolic transubstantiation between the people and their environment.

Choosing the strongest photographs in this series is difficult. But among the more revealing are some of the faceless portraits. Two are especially provocative. The first depicts a person wearing a sombrero and a nylon cape for protection against the rain. The only visible part of the anatomy is a sinewy hand, extraordinarily expressive. The sombrero's texture resembles the rough texture of the roof of the *bohío*. It is as if this person has been rooted there forever. Only through the photographer's intervention have this figure and its setting been endowed with such a sense of timelessness and anonymity. The other photograph shows a farmer carrying a live pig on his shoulder. The pig has been stuffed into a sack, such that we can see only its head, positioned as if to replace the head of the man who carries it. I know that Bank did not intend to appeal to our sense of humor with such a juxtaposition, even though pigs seem always to smile, even after death. Rather, the image disturbs us, perhaps because of this hybridization between the human and the animal. The aesthetic power of the image seems to arise from the physical force suggested by this ambiguous figure planted solidly in the foreground of the image.

Bank's photographs offer us a kind of psychological montage with two main features. The first is the superimposition of the photograph's aesthetic reality upon the "natural" reality of the photographed objects. The second is the masking of the subjects depicted, transforming them into strangers, as if they originated from a place isolated from any reality. As if grasping the reality of these subjects would require us to pay attention to elements beyond our understanding of geography and history, far from logic, far from anatomy. One of the most enigmatic photographs depicts what at first glance seems to be a person carrying a pole filled with hanging tobacco leaves, a setup that Cubans call a *cuje*. Yet a second look raises the possibility that there is no pole at all and that the leaves hang from what could be the person's arm. Strangest of all, the photograph offers no clues to confirm that the subject is even a person. The leaves could as easily be supported by any other object, shaped like this mysterious figure, alone in the middle of the field.

That sensation of solitude emanates from many of the scenes and subjects Bank photographs: an old woman paused on the threshold, leaning on a stick and bathed by light that seems to go right through her; two girls walking toward a tobacco barn; family members busy in the kitchen, with the nearly fantastic insertion of a horse's head through the doorway. All are absorbed in their separate, daily lives, in a universe of immediacy that the photographer imbues with a hint of the transcendent. The solitude they reflect is not an inner solitude, but rather a sort of isolation, as if they had been captured in a private relationship with their own reality. As if the world was for them an entirely personal matter. It is in these moments that I wonder if Bank does not convey the loneliness that she experiences while photographing. If so, the great merit of her work is her ability to reveal the connection between the artist and the world—a connection whose disclosure should be at the core of every work of art.

The Secret Drive of History

Making documentary photographs in the Cuban context is not a naive exercise, much less for a photographer like Bank, who has had to cross not only geographic but also political and social boundaries. These crossings have led me to emphasize the place her work occupies, between imagination and history. As a result I do not hesitate to stress her contribution to an iconography of Cuban identity. I believe that the construction of Cubanness in the last fifty years has had more to do with the image than with history. I turn to the epigraph of this essay, the enigmatic words of José Lezama Lima, which translated into English mean "the image is the secret drive of history." I believe that Bank's work springs from the same intuition that underlies the Cuban poet's phrase. His words are consistent with the tenor of this work, which is that these *campesinos*, photographed in the twenty-first century, do not differ from others photographed in other times, and perhaps elsewhere, in places beyond Cuba.

One might say that this observation merely reflects the fact that areas of the Cuban countryside exist in a limbo untouched by the passage of time. Provoked by specific social conditions, this limbo manifests itself like a parenthesis in history. Yet in these photographs I sense that this parenthesis (this lapse) is nonetheless an aesthetic construction of the artist's own making, such that the image—with all its symbolic force—makes incursions into territory seemingly independent of history.

The truth is that Bank has a special talent to capture moments and situations that, when represented in the photograph, look unreal, despite their ostensibly mundane nature. The facts of daily life appear unusual and extraordinary. Bank's direct and frank gaze has resulted in images that simultaneously idealize their photographic subjects and render them unfamiliar. It is this very distance that we call "aesthetic" and which is tantamount to the chasm between the photograph, as a beautiful object, and the photographed, as the starting point of the artistic act. What is most significant in this volume is that each picture retains its autonomy as an object and that such autonomy holds the key to its beauty. Thus, each image may evoke the "natural" beauty that motivated Bank to put the camera to her eye in the first place, but then it forces us to discover within it another type of beauty, unprecedented, that is possible only in a photograph, and then only thanks to the photographer.

An Adult's Game

I tend to approach photography as if it were a way to remember moments I have not lived, a way to become persons I have not been, a way to experience the lives of others. I enjoy reading a photograph as fiction, as one reads literature or a play. At least, this was how I approached literature and theater as a child. That is to say, like a game.

If once such fantasy was child's play, now it is a game for adults. I cannot see every photograph as a harmless object, or every photographed reality as pleasant or charming. To play at being the other also implicates us in embracing others' pain. This goes beyond compassion or complicity, since I cannot pity anyone whose pain, wants, and frustrations I have appropriated. I say this because underlying the beauty of Bank's photographs I also sense the conflicts and frustrations experienced by Cuban farmers struggling to subsist under precarious conditions. Yet these photographs compel me to conclude that between the precariousness and the poverty there is room for hope and vitality to survive.

Although I easily become engaged when I confront a photograph, the truth is that I feel a certain detachment, too. It doesn't matter whether these photographs make me breathe the humid earth again. It doesn't matter that once again I feel the sandy soil of Pinar del Río beneath my feet. Or that they allow me to reimagine a series of once uncomfortable sensations—the dew falling on my back when I bent over to enter the tobacco fields, the tar transforming my shirt into a rigid shell, the mud between my fingers—as something newly wonderful. The more I try to relive such experiences, the more the feeling persists that, ultimately, I continue to be an intruder. In the end, we are always there, that other and I, sharing some sort of elemental solitude.

Susan Bank's work helps me, if only for a moment, to deal with my own solitude when facing the image. And with my own solitude vis-à-vis memory. I grant that photography is one of the best instruments of individual and collective nostalgia. It idealizes the past, in large part because the photograph reveals to us that the past is something irretrievable. Our glance cannot fully grasp it. We can barely caress it. Yet we always yearn for it. For this reason, to enjoy Bank's photographs is also to take pleasure in feeling loss, transformed into an aesthetic experience. Ultimately, a tricky feeling. But our relationship with the image is made of such tricks.

Juan Antonio Molina

Mexico, February 2008

Editing and revised translation by Denise Tanyol

La causa secreta de la historia por Juan Antonio Molina

La imagen es la causa secreta de la historia.

José Lezama Lima

Prólogo

Siempre me acompaña esa frase de Lezama Lima, enigmática y reveladora al mismo tiempo. Tal vez no puedo desprenderme de ella porque no he dedicado mucha energía a tratar de descifrarla. A veces es mejor no entender demasiado las cosas en que uno cree. Pero la verdad es que me fascina, sobre todo, porque siento que le da sentido a mi ambigua relación con la imagen y con la historia. O más bien, a la ambigua posición en que me coloca mi relación con la fotografía: siempre entre la imagen y la historia. Desde esa ubicuidad es que me he acercado a las fotografías de Susan Bank. Y esa misma ubicuidad es la que he encontrado en cada una de esas fotos. A estas alturas ya presiento que ésa es una condición propia de la fotografía como medio de representación. Pero también es una particular consecuencia del encuentro entre una sensibilidad como la de Susan y una realidad como la del campo cubano. Es finalmente una coincidencia feliz, que ha logrado involucrarme en una experiencia intelectual —también imaginaria— para seguir reinventando mi propia historia.

La soledad de la imagen

Hay una soledad consustancial al hecho artístico, que deriva del enfrentamiento del artista con la plenitud de la imagen. Es cuando el artista enfrenta la imagen como algo que está más allá de la realidad con la que está tratando, más allá del medio con el que está trabajando y más allá del contexto en el que está existiendo. Es cuando el artista entiende, o intuye al menos, que él (o ella) es la realidad, el instrumento y el contexto de la imagen. Ese es el momento —fugaz, mínimo, tal vez— en que la imagen se revela como un fenómeno que trasciende la historia para acercarse al territorio del mito. Yo creo que en toda obra de arte hay siempre un residuo de esa autonomía de la imagen, que se resiste a ser ubicada o colonizada por una circunstancia.

Mirando las fotografías de Susan Bank experimento esa inquietud que provoca el querer asociar cada imagen a una circunstancia específica y descubrir que la imagen trasciende esa circunstancia. Para ser honesto, debo confesar que me he acercado a estas fotos buscando un testimonio sobre el modo de vida de los campesinos cubanos y, sobre todo, buscando conexiones con mi pasado y con mi origen. Sin embargo, lo que he encontrado es un testimonio sobre los modos que tiene Susan Bank de experimentar la belleza. Susan Bank ha dicho que hace fotografías "para lidiar con sentimientos personales de soledad y aislamiento". Yo prefiero traducir eso como que ella hace fotos para lidiar con la belleza y con la plenitud de la imagen, entendiendo (como sugiero al principio de este ensayo) que la experiencia estética es también un modo solitario de lidiar con la soledad.

Más real que lo real

Muchas de las fotos de la serie *Campo Adentro* fueron tomadas en el interior de las casas de una comunidad del Valle de Viñales. Este acceso al mundo privado de las personas no se hubiera logrado sin una previa interrelación y sin esa especie de negociación de espacios a que se ven obligados frecuentemente los fotógrafos documentalistas. Por eso entiendo que parte del proceso de realización de las fotos ha sido la relación personal con los sujetos fotografiados. Sin embargo, más allá de esta relación personal (social en última instancia), yo siento que estas fotos nacen de una relación visceral con lo fotografiado y de una relación emocional con la realidad. Las fotografías de Susan Bank muestran una familiaridad respetuosa con la realidad fotografiada. Sin embargo, esta familiaridad no impide que la fotografía se proponga como una nueva realidad. Quiero decir que la "verdad" de estas fotos no depende exclusivamente de lo fotografiado. Cada una de las fotos de Susan Bank porta su propia verdad, su verdad estética. Y esa verdad estética se basa en sutiles modificaciones a la apariencia del mundo, de las que resultan nuevas posibilidades de significado.

Por ejemplo, Susan Bank enfatiza el efecto estético que tiene la luz, sobre todo en los espacios interiores. Juega con las combinaciones que se dan entre penumbras y claroscuros en el interior, complementadas con las luces fuertes del exterior. Para mí, eso constituye ante todo un uso dramático de la luz. La escena en que un anciano palpa el vientre de otro, recostado en una cama, no sería tan expresiva si no fuera por ese uso dramático de las luces y las sombras. Esa foto, por cierto, muestra otro elemento de elaboración estética, no menos importante: el recorte del espacio exterior a través de la ventana. Del otro lado de la ventana se ve la cabeza de un caballo y un fragmento de paisaje. El recorte es tan nítido, y el contraste entre un plano y otro es tan agudo, que la ventana parece un cuadro dentro del cuadro. De pronto pudiera parecer otra foto o una pintura colgada en la pared. Tiene el aspecto de un montaje y me hace sentir que del otro lado comienza otro mundo, tal vez irreal, tal vez simplemente poético.

Un efecto semejante provoca la foto en que se ve un cuarto donde unos guanajos pasean con su aire estúpido y confiado, como si fueran los únicos habitantes de la casa. La escena por sí misma ya tiene un toque de irrealidad. La ventana otra vez parece una imagen dentro de la imagen. Tiene la nitidez de los sueños y de ciertos recuerdos. Y es como un *trompe l'oeil* dentro de una fotografía. Es una situación muy paradójica porque ese espacio ilusorio parece más real que lo real. Es con esa sensación que comienzo a ver las fotos de Susan Bank como experiencias estéticas muy cercanas al surrealismo.

El valor de la distancia

Yo aprecio como un efecto surrealista ese momento en que lo real aparece en una foto como elemento de extrañamiento. Es decir, cuando la foto deja de ser el doble de una realidad conocida para aparecer como el origen de una realidad por conocer. En esos casos dejo de percibir que la foto proviene de una cercanía con lo fotografiado (cercanía "técnica", si lo vemos estrictamente) y comienzo a sentir que la foto nos provee de una distancia respecto a lo fotografiado. Recuerdo que Walter Benjamin hablaba del "aura" de la obra de arte, sugiriendo que tenía que ver con una especie de "lejanía". Probablemente cuando hablo de esta distancia estoy pensando en esa "lejanía" del aura.

A veces esa distancia se verifica en términos más concretos, como resultado de la mediación de la cámara entre el fotógrafo y lo fotografiado. En esos casos la fotografía aparece más como resultado de una intervención que como una emanación de lo real. Ese es un rasgo apreciable a lo largo del trabajo de Susan Bank. Y hay obras en particular donde esa tendencia se hace más explícita. Pienso en aquellas fotos donde la autora ha escogido puntos de vista que impiden ver los rostros de los fotografiados. De ahí deduzco, en primer lugar, que la identidad de éstos no constituía en esos momentos el centro de interés de la fotógrafa. Pero también lo percibo como una forma de tomar distancia con los sujetos. Y como un intento de explotar formalmente la relación entre el sujeto y su contexto, pues en los mejores ejemplos

los sujetos parecen formar parte del paisaje. En todos los casos el resultado es una construcción formal que, simbólicamente, remite a una relación casi transustancial entre las personas y su entorno.

Es difícil decidir cuáles son las mejores fotos de este conjunto. Sin embargo, entre las más sugerentes se encuentran algunos de estos "retratos sin rostro". Dos de éstos me resultan especialmente atractivos: Una persona cubierta con un sombrero desde el que desciende un pedazo de nylon que le protege, probablemente, de la lluvia. La única parte visible de la anatomía es la mano nervuda, de extraordinaria expresividad. La textura del sombrero parece un eco del techo rústico del bohío. Parece que esa persona hubiera estado ahí desde siempre. Y, sin embargo, esta percepción sería imposible sin la intervención de la fotógrafa, que ha dotado a esta figura —y a su entorno— de un aire de intemporalidad y anonimato.

La otra foto es la del campesino que lleva un cerdo muerto sobre su espalda. El cerdo está metido dentro de una bolsa, de modo que solamente asoma su cabeza, que parece sustituir la cabeza del hombre que lo porta. Sé que Susan Bank no intentó un recurso humorístico con esta yuxtaposición, aun cuando los cerdos siempre parecen sonrientes, incluso después de muertos. Pero si la imagen es inquietante es también por esta especie de hibridez que se da entre el hombre y el animal. Por lo demás, la fuerza estética de la imagen parece resultar de la fuerza física que transmite esta ambigua figura, consistentemente plantada en el primer plano de la foto.

En estas fotos funciona una especie de "montaje sicológico" que tiene dos rasgos determinantes. El primero es el de esa superposición de la realidad estética de la fotografía sobre la realidad "natural" de las cosas y los objetos fotografiados. El segundo tiene que ver con esa especie de enmascaramiento de los sujetos retratados, que los vuelve extraños, como provenientes de un ámbito ajeno a cualquier realidad. O como si para entender su realidad hubiera que atender a esos elementos que están más allá de la geografía y de la historia, lejos de la lógica y de la anatomía. Una de las fotos más enigmáticas muestra lo que parece ser una persona que carga una vara (cuje) llena de hojas de tabaco. Lo interesante es que nada permite confirmar que se trata de una persona. Las hojas pudieran estar sostenidas por cualquier otro objeto, conformando esa figura misteriosa, solitaria en medio del campo.

Esa sensación de soledad la transmiten muchas de las escenas y de los sujetos retratados por Susan Bank: una anciana parada en el umbral, apoyándose en una vara y bañada por una luz que parece atravesarla; dos niñas caminando en dirección a una casa de tabaco; los miembros de una familia trajinando en la cocina, con la presencia casi fantástica de un caballo que asoma la cabeza por la puerta. Todos ensimismados en su propia cotidianidad, en un universo de inmediatez que la fotógrafa convierte en una insinuación de lo trascendente. La soledad que reflejan no es una soledad interior, sino una especie de aislamiento, como si fueran captados en una relación individual con su propia realidad. Como si el mundo fuera para ellos una cuestión absolutamente personal. Me pregunto si en esos casos, Susan Bank no estaría transfiriendo a las fotos lo que ella misma experimentó en el acto fotográfico. De ser así, el principal mérito de esta obra sería su capacidad para desdoblar la relación del autor con el mundo, cualidad que en última instancia debería estar en el principio de cualquier obra de arte.

La causa secreta de la historia

Hacer fotos documentales en el contexto cubano no es un ejercicio inocente. Mucho menos para una fotógrafa como Susan Bank, quien ha tenido que cruzar fronteras que no sólo son geográficas, sino también políticas y sociales. Por eso yo he querido enfatizar el lugar que tiene su obra, entre lo imaginario y lo histórico. Y por eso no dudo en resaltar su aporte a una iconografía de "lo cubano". Porque yo sospecho que la construcción de lo cubano en los últimos 50 años ha estado más cerca de la imagen que de la historia. Digo esto y no puedo evitar volver sobre la frase de Lezama que da título a este ensayo. Porque creo que una obra como la de Susan Bank nace de la misma intuición que subyace en esa frase del poeta cubano. Por eso me parece muy coherente con el tono de esta obra que estos campesinos, fotografiados en el siglo XXI, no se diferencien de otros fotografiados en otra época, y quizá no solamente en Cuba. Pudiera argumentarse que esto solamente refleja el hecho de que hay zonas del campo cubano que existen en un limbo por el que no ha pasado el tiempo. Ese limbo puede ser entendido como un paréntesis en la historia, provocado por circunstancias sociales específicas. Sin embargo, en el caso de estas fotos, yo siento que ese paréntesis (ese lapsus) es una construcción estética, y que solamente pudo ser logrado por el esfuerzo de la artista para que la imagen —con toda su fuerza simbólica— intervenga en el territorio aparentemente autónomo de la historia.

El hecho es que Susan Bank tiene un talento especial para captar momentos y situaciones que, representadas en la foto, no parecen reales, aun cuando son evidentemente cotidianas. Y en ese tipo de fotos, lo cotidiano aparece como inusual y como extraordinario. La mirada directa y franca de Susan Bank ha resultado en fotografías que conservan un aire ideal, y que mantienen una distancia respecto a lo fotografiado. Esa es una distancia que podemos llamar "estética" y que equivale a la distancia entre la foto, como objeto bello, y lo fotografiado, como origen del hecho artístico. Para mí está claro que lo importante en esta obra es que cada foto conserva su autonomía como objeto. Y que en esa autonomía radican las claves de la belleza. Es decir, desde esas fotos puedo evocar la belleza "natural" que motivó a Susan Bank para llevarse la cámara a los ojos. Pero eso sólo es posible en la medida en que las fotos me permiten descubrir otro tipo de belleza, inédita, posible solamente en la foto, posible solamente gracias a la autora.

Un juego de adultos

Yo suelo acercarme a la fotografía como si fuera un modo de recordar momentos que no he vivido. Como si fuera un modo de ser las personas que no he sido. Como si fuera una manera de vivir otras vidas. Disfruto leer la fotografía como ficción, en el mismo sentido en que puede leerse la literatura o el teatro. O al menos, en el mismo sentido en que yo consumía la literatura y el teatro cuando era niño; es decir, como un juego.

Si antes esta fantasía era un juego de niños, ahora es un juego de adultos. Porque no puedo ver todas las fotografías como objetos inocentes, ni todas las realidades fotografiadas como realidades apacibles o atractivas. Ahora jugar a ser el otro también implica involucrarse con el dolor de los demás. Y esto es algo que está más allá de la compasión o de la complicidad. Puesto que no puedo compadecerme de otro cuando me he apropiado de su dolor, de sus carencias o de sus frustraciones. Digo esto porque detrás de la belleza de las fotos de Susan Bank también intuyo los conflictos y las frustraciones que enfrentan los campesinos cubanos para subsistir en condiciones de precariedad material. Y porque estas fotos me hacen sentir que entre la precariedad y la pobreza siguen sobreviviendo la esperanza y la vitalidad.

Sin embargo, pese a la facilidad con que me involucro, lo cierto es que frente a una fotografía siempre me siento extranjero. No importa que estas fotos me hagan sentir de nuevo el olor de la tierra húmeda. No importa que vuelva a sentir bajo los pies el suelo arenoso de Pinar del Río. O que imagine como algo maravilloso lo que alguna vez era solamente un conjunto de sensaciones incómodas: el rocío cayendo sobre mi espalda cuando me encorvaba a la entrada de la vega; el alquitrán que convertía mi camisa en una capa rígida; el barro entre mis dedos. Porque mientras más me esfuerzo por vivir esa experiencia como propia, más persistente es la sensación de que, en última instancia, sigo siendo un intruso. Al final siempre quedamos el otro y yo, compartiendo una especie de soledad elemental.

Tal vez lo mejor que pudiera decir a favor de la obra de Susan Bank es que me ayuda, por un momento, a lidiar con mi propia soledad frente a la imagen. Y con mi propia soledad frente a la memoria. Ya sé que la fotografía es uno de los mejores instrumentos de la nostalgia individual y de la nostalgia colectiva. Y que le otorga al pasado un estatus de idealidad. Pero en gran medida esto ocurre porque la fotografía nos descubre el pasado como algo irrecuperable. Nuestra mirada no lo alcanza, apenas lo acaricia. Y siempre lo desea. Por eso para mí, disfrutar de las fotografías de Susan Bank es también disfrutar de un sentimiento de pérdida, convertido en sentimiento estético. Un sentimiento tramposo, en última instancia. Pero de esas trampas es que está conformada nuestra relación con la imagen.

Juan Antonio Molina
México, Febrero 2008

Plate descriptions

1 Sugarcane trail

2 Guillermo in rain cape

3 Martha's house

4 Hands at the net

5 Ana and her family in the *cocinita*

6 Tobacco barn

7 Two brothers: Joaquín and Manuel

8 Tía (María) and Chichi at the mirror

9 Tía playing ball

10 *Amarilla* (Joana) and gun

11 Boy on rope

12 Chino and his daughter

13 Tobacco birdman

14 Julio sifting rice with Osbel

15 Pipo and Chichi

16 Manuel (Toti) on horse

17 Martha's hair

18 Guillermo and family in the *cocina*

19 Arisleidy ironing *falda*

20 Víctor with grandson

21 Yusvier at door

22 Caridad leaning on table

23 Marchi at the window

24 Tía cooking

25 Julieto at the well

26 Boy at cockfight

27 *Pavos* in *sala*

28 Julieto and white oxen

29 Guillermo in rain

30 Yaray watching television

31 Playing checkers

32 *El médico* and Chengo

33 Girls opening barn door

34 Guillermo at cockfight

35 Umbrellas on *caminito*

36 Horse-shoeing

37 Pigman

38 Playing near stuffed pig

39 Ana in *tanque*

40 Guillermo and niece

41 Tía holding bear

42 Osbel and his mother

43 Woman with bird hat

44 Martha and son Chino

45 Children on oxen cart

46 Martha in doorway

47 Negro swinging on line

48 Five chairs

Acknowledgments

Many hands and hearts have touched this book. One page cannot hold my gratitude.

This project never would have happened if Reynaldo Tejeda Hardy, of Havana, had not gently opened the doors to the homes of the *campesinos*. Without him, I would have bypassed *el campo*. *Gracias*, Reynaldo.

The *campesinos* of barrio Cuajaní, Valley of Viñales, Pinar del Río Province, with whom I lived and worked from 2002 to 2007, became my "adopted family": Martha García Gil (1925-2005), the matriarch of the valley, and her ten adult children, especially Guillermo, who was my loyal *guardaespaldas* in *el campo*; Bejo and Tita and their children, Brujo, Gleidis, Piti, and Negro, and Tita's brother, Pipo; Ana and her large family; Mayor's family, including Caridad, Chichi, Marchi, Chengo, Tía, Rufino, and María; the family of Zoila and Prieto; Osbel and his mother; Rula and Chicho; the twins and their parents, Negro and Mercedes; Miguel, *el médico*, and his wife, Andrea; Víctor; and Oslerio and Jackie.

Raúl Cañibano was instrumental in setting up opportunities for me to exhibit in Cuba. Nelson Ramírez de Arellano, the very able and sensitive curator/artist, curated the first exhibition of *Campo Adentro* in June 2004 in Havana at the Fototeca de Cuba, the island's main photography center, with Lourdes Socarrás, its director. Francisco Alonso Díaz, president, and Esteban Díaz Montesino, of UNEAC, invited me to exhibit with Cañibano in Pinar del Río. A special thanks to Ana Ofelia González Serret, director of the Centro Provincial de Artes Plásticas y Diseño, who invited me to exhibit a later series of the work in 2007. A warm embrace to Lizette Vila Espina, director of Project Palomas.

In the United States, Katherine C. Ware, Anne Wilkes Tucker, Rod Slemmons, and Lesley A. Martin honored the series with awards at a time when it seemed that interest in work from Cuba was all but exhausted in this country. And thanks to Alexa Dilworth, who hung in there with me. Jacqueline Hayden, Margarita Aguilar, Lyssa Palu-ay, and Brian Peterson, each approached me to exhibit the work.

Several friends and family had a hand in editing: Constantine Manos, my teacher in Havana in 2000, who set a high bar for me; Jacqueline van Rhyn, and Lesley A. Martin. I value the editing skills of my artist daughter Greta Bank, my photographer son-in-law Scott Peterman, and Boston photographer and educator Stella Johnson. My patient husband, Willi Bank, with his quick eye, kept me honest.

Professor Ricardo Viera, director and curator of the Lehigh University Art Galleries, has been a consistent, passionate, and major player in the production of this book. I have no words strong enough to thank him for his devotion to this project. Simply, *¡un fuerte abrazo!*

Robert Asman, the invisible alchemist, took this long *viaje* with me in his darkroom. Bob has been my indispensable partner.

It was an honor for me to work with Juan Antonio Molina, whose accompanying essay demonstrates a deep understanding of my work and me. Denise Tanyol mastered an excellent retranslation of his essay. *Gracias* to Iraida Iturralde, of the Cuban Cultural Center of New York, for the translation of my Preface and the final edit of the book.

The design team of Jorge Moya and Néstor González generously gave the book an elegant and creative approach.

Bob Tursack, master craftsman, and his staff pulled it all together at Brilliant Graphics.

FIRST EDITION 2008   Edition of 750 copies

Copyright © Photographs by Susan S. Bank
Copyright © Text by Juan Antonio Molina

Book Design by Jorge Moya and Néstor González, of Reynardus and Moya Advertising in New York

Library of Congress Control Number: 2008903193

SAGAMORE PRESS
124 West Walnut Lane
Philadelphia PA 19144

380 Little Harbor Road
Portsmouth NH 03801

Production and Printing by Brilliant Graphics Exton PA
Printed on PhoeniXmotion Xantur paper 170 gsm
ISBN: 978-0-615-20595-3
Printed in USA